Mit Wilhelm Busch
in kranken und gesunden Tagen

Drei Wochen war der Frosch so krank!
Jetzt raucht er wieder, Gott sei Dank!

Mit
Wilhelm Busch
in kranken und
gesunden Tagen

Vergnügliche Rezepturen
zusammengestellt
von Hans Stengel

Droste Verlag

© 1987 Droste Verlag GmbH, Düsseldorf
Schutzumschlag- und Buchgestaltung:
Helmut Schwanen und Monika Neugebauer
Gesamtherstellung: Rheindruck Düsseldorf GmbH
ISBN 3-7700-0744-1

Inhalt

Das Alter kommt und zieht dich krumm
Und stößt dich rücksichtslos hinunter
Ins dunkle Sammelsurium.   89

Anhang

Vorwort

Gesundheit und Krankheit scheinen, zumindest bei oberflächlicher Betrachtung und im allgemeinen Sprachgebrauch, Gegensätze zu sein. Bei näherem Besehen jedoch überschneiden sich nicht selten die vermeintlichen Gegensätze, und wir finden eine Vielzahl fließender Übergänge und Grenzfälle. Gesundheit ist, vereinfacht ausgedrückt, der Zustand körperlichen, seelichen und sozialen Wohlbefindens; also vorwiegend die subjektive Fähigkeit jedes einzelnen Menschen, sein Leben und seine Lebensumstände zu bewältigen und mit beiden zu harmonieren. – Krankheit dagegen ist eine Funktionsstörung des Körpers oder, genauer, seiner Zellen, Gewebe und Organe. Fast immer sind es chemische und physikalische Reaktionen der unterschiedlichsten Art, die das Gleichgewicht im Körper stören oder beeinträchtigen. Krankheiten sind das Ergebnis oftmals sehr verschiedener äußerer Einwirkungen (Exposition) in Wechselwirkung mit sich zeitweilig ändernden Anfälligkeiten (Disposition) und allgemeiner Gesamtveranlagung (Konstitution). Wir werden krank, wenn unser äußerst kompliziertes und auf das feinste abgestimmte Korrelations- und Regulationssystem unserers Körpers vorübergehend oder auch für immer geschädigt ist.

Beide, Gesundheit und Krankheit, gehören zu unser aller Leben. Leben ohne Krankheit wird sich wohl kaum, trotz der Erfolge der Medizin, so schnell verwirklichen lassen. Es wird sicher noch lange Zeit ein Wunschtraum bleiben.

Mit der Gesundheit, aber noch viel mehr mit der Krankheit, haben sich schon immer die bildenden und musischen Künstler auseinandergesetzt. Das gilt besonders für Maler und Dichter. Auch Wilhelm Busch, der ja beides war, hat sich in seinen vielen gemalten und gezeichneten sowie lyrischen und epischen Werken wiederholt über die Unpäßlichkeiten und Erkrankungen der Menschen geäußert. Er tat das meist mit dem ihm eigenen unverkennbaren spritzigen, trockenen, hintergründigen und oftmals auch sarkastischen Humor. Das konnte ja bei diesem niedersächsischen Maler, Zeichner und Dichter, den wohl bekanntesten und noch immer beliebtesten deutschen Humoristen, auch gar nicht anders sein. Gerade das Alltägliche und Banale im Leben eines Menschen war es ja, das seine prägnanten und stets das Wesentliche treffenden Zeichnungen und Texte in unnachahmlicher Weise auszeichnet.

Busch selbst war ein stattlicher und kerngesunder Mann. Er erfreute sich zeitlebens einer recht guten Gesundheit. Außer einer Typhuserkrankung während seiner Studienzeit 1853 in Antwerpen, die ihn zur Rückkehr nach Wiedensahl zwang, einer Erkrankung an „Schleimfieber" im Jahre 1860 sowie gelegentlicher Erkältungen und grippaler Infekte, besonders im Alter und zu beginn der kalten Jahreszeit, war er eigentlich niemals ernstlich krank. Wenn man vom Rauchen, von dem noch zu sprechen sein wird, absieht, lebte er im allgemeinen auch recht gesund: „Meine Zeit geht immer so gleichmäßig und gemüthlich dahin. Morgens wird gearbeitet, Nachmittags bummle ich, trinke in der Dämmerung meine halbe Wein und lege mich frühzeitig auf's Ohr" (an Erich Bachmann, 16. August 1874). Was nicht heißen soll, daß

er, z. B. in den Münchner Künstlervereinen „Jung-München" und „Allotria" oder auch im Familien- und Freundeskreis, ein Freund von Traurigkeit war, sondern im Gegenteil durchaus auch einmal über die Stränge schlagen konnte und sich bei dieser Gelegenheit als ein trinkfester und fröhlicher Zecher erwies. Daß er Zähne hatte, vertraute er seinen Neffen an, hätte er bis zu seinem 50. Lebensjahr überhaupt nicht gemerkt. Dann allerdings mußte er sie nach und nach „den Mäusen schenken" und sie durch die dritten ersetzen lassen.

Viel körperliche Bewegung und viel frische Luft waren für Buschs Wohlbefinden unerläßlich. Bereits als Student in München unternahm er mit Freunden in den Sommermonaten wiederholt längere Fahrten und Wanderungen ins Gebirge und zu den Seen des Voralpenlandes. In Wiedensahl machte er täglich vor dem Abendbrot sommers wie winters einen ausgedehnten Spaziergang in Feld, Wald und Wiese. Dort gab es immer etwas zu suchen, zu beobachten und zu skizzieren. Selbst wenn das Wetter nicht danach war, promenierte er gegen Abend für eine halbe bis dreiviertel Stunde die Loccumer Chaussee entlang. In seinen letzten Jahren in Mechtshausen konnte er dann allerdings, wenn es das Wetter zuließ, nur noch kürzere Gänge in den Garten und auf die Dorfstraße unternehmen. Längere Regenzeiten und anhaltender Schnellfall im Winter bedrückten und verstimmten ihn.

Busch liebte den Garten und die Gartenarbeit über alles. In Wiedensahl und auch später in Mechtshausen betätigte er sich, wo er nur konnte, in der Aufzucht und Pflege der Zier- und Nutzpflanzen. Hier verfolgte er nicht nur das Wachsen und Gedeihen der

Pflanzen, sondern auch das vielfältige Tierleben, insbesondere das der Vögel. Hier führte er aber auch manch erfolgreichen und manch aussichtslosen Kampf gegen das Ungeziefer, das Unkraut und gegen die Dürre im Hochsommer. Die Liebe zur Natur prägte sein Leben. Er war durchdrungen von einem starken Gefühl der Zusammengehörigkeit von Mensch und Natur.

Innerlich und äußerlich hielt Busch auf peinliche Sauberkeit. Er wusch sich täglich auch im Winter von Kopf bis Fuß mit kaltem Wasser und benutzte dazu lediglich das damals übliche Waschgeschirr sowie Schwamm und Seife. Als ihm später bei seinem Neffen eine Wasserleitung und eine Badeeinrichtung zur Verfügung stand, lehnte er diese als „moderne Fisematenten" ab.

Von Krankenheiten und Kranken hörte und redete Busch nicht sehr gern, nahm aber an Krankheiten im Familien- oder Freundeskreis regen Anteil. Von Ärzten selbst wollte er im allgemeinen nichts wissen. Dennoch hat er die Person des Doktors und dessen Tätigkeit sowie eine Reihe von Altersleiden (Gicht, Rheuma, Kreislaufstörungen) in seinen Bildergeschichten und Prosawerken in seiner humorvollen Art eindrucksvoll geschildert und bebildert.

Ob es nun eigene positive oder negative Erfahrungen mit Ärzten und mit Krankheiten oder auch nur reine „Phantasiehanseln" waren, die ihn dazu veranlaßten, auch diesen Berufsstand und diese Seiten des menschlichen Lebens mit knappem Strich und knappem Reim aufs Papier zu bannen, sei dahingestellt. Vielleicht hat auch das Bild, das er von seinem Großvater mütterlicherseits, Johann Georg Ambrosius Kleine, hatte, dazu beigetragen. Dieser war um 1800 als Wundarzt aus Hatten-

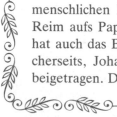

dorf in der Grafschaft Schaumburg nach Wiedensahl über-
gesiedelt, hatte sich dort niedergelassen und war zwölf
Jahre vor Wilhelm Buschs Geburt gestorben. Auch dessen
Vater Karl Philipp Kleine und Großvater Ernst Kleine,
also Buschs Ur- und Ururgroßväter, waren Wundärzte im
damals hessischen Schaumburger Land.

Wie dem auch sei. Das Bild, welches Wilhelm
Busch mit trockenem und hintergründigem Humor vom Mediziner zeichnet, ist, von Ausnah-
men abgesehen, ,,gar nicht so grausam . . . Im Gegenteil.
Seine frische Farbe, seine schwellenden Lippen, seine
dicken, schalkhaften Augen, die aufgekrempelten Hemdsärmel, die Arbeitsschürze über dem rundlichen Bäuchlein,
das alles machte durchaus den Eindruck eines sauberen
Metzgermeisters, den jedermann gern hat.'' So jedenfalls
beschreibt und zeichnet Busch den Dokter Schnorz in
seinem Prosawerk ,,Der Schmetterling''.

Aber das Rauchen. Hier war Wilhelm Busch alles
andere als ein Weiser. Er war diesem Laster
hoffnungslos verfallen und bezeichnete sich selbst
als ,,ein Schlot, der ewig zieht und raucht und meterweise
schwedisches Holz verbraucht''. Im Familienkreis nahm er
das aufgetragene Essen nur hastig ein, um sich sogleich
wieder seiner Leidenschaft zu widmen. Noch bevor die
Tischgenossen ihre Mahlzeit beendeten, griff er schon
wieder hastig nach seinen Glimmstengeln, die er sich mit
geschickten Fingern aus dunklen französischen Tabaken
selbst drehte. Durchschnittlich fünfzig Zigaretten, in jungen Jahren sogar noch mehr, waren sein Tagesquantum.
Dazu kamen aber noch, zur Abwechslung und als Pausen-
füller, mehrmals am Tag der ,,Stinkehaken'', d. h. die
Pfeife, und später aus Bequemlichkeit leichte Feld-, Wald-

und Wiesenzigarren, wie er die gewöhnlichen Sorten nannte, bei denen es nur darauf ankam, daß sie brannten und qualmten.

Nach einer schulischen Ausbildung und Erziehung zunächst in der Dorfschule von Wiedensahl, seinem Geburtsort, und anschließend als Privatschüler bei seinem Onkel, dem Pastor Georg Klein in Ebergötzen bei Göttingen, erhielt der junge Busch, „sechzehn Jahre alt, ausgerüstet mit einem Sonett und einer ungefähren Kenntnis der vier Grundrechnungsarten . . . Einlaß zur Polytechnischen Schule in Hannover". Hier studierte er, wahrscheinlich auf besonderem Wunsch des Vaters, Maschinenbau. Da er sich hierbei jedoch zunehmend „mit matterem Flügelschlage" bewegte, brach er dieses Studium vorzeitig ab, um zunächst in Düsseldorf, dann in Antwerpen und schließlich in München Maler zu werden. In der Residenzstadt des damaligen Königreichs Hannover erlebte der politisch unerfahrene und ahnungslose, gerade siebzehn Jahre alt gewordene Student im Frühjahr 1848 die unruhigen und turbulenten Tage der auf die deutschen Kleinstaaten übergeifenden Revolution. „Aus den Polytechnikern wurden Kompanien gebildet unter Führung der Lehrer. Den Stock in der Hand, eine weiße Binde um den Arm, zogen wir durch die Straßen . . . Bald kriegten wir Waffen; alte Steinstoßflinten, die Ohrfeigen austeilten und die Gesichter schwärzten, wenn wir draußen an der Schwedenschanze im Feuer exerzierten. Unsere Uniform war bloß kurz angedeutet durch eine Mütze mit schwarz-rot-goldenem Streif drumherum. Das dreikantige Bajonett, im Bandelier zu tragen, diente als furchtbares Seitengewehr. Meine Kompanie hatte die Ehre, als erste die Hauptwache am Markt abzulösen. Freundlich grinsend, standen uns die

Soldaten gegenüber. Sie hinterließem uns munter belebte Matratzen zur behaglichen Ruhestatt." Dabei ,,erkämpfte" sich Wilhelm Busch ,,in der Wachstube die bislang nicht geschätzten Rechte des Rauchens und Biertrinkens; zwei Märzerrungenschaften, deren erste mutig bewahrt, deren zweite durch die Reaktion des Alters jetzt merklich verkümmert ist."

Die starke Nikotinsucht, die sich Busch in dieser Jugendzeit einhandelte, konnte natürlich auf die Dauer nicht ohne Folgen bleiben: Im Sommer 1874 überfiel ihn ,,ein heftiges Unwohlsein" aufgrund zu reichlichen Tabakgenusses. Einige Jahre später, im Jahre 1881, erkrankte er gleich zweimal, im Frühjahr und im Spätherbst, an einer schweren Nikotinvergiftung. ,,Schüttelfrost, Appetit- und Schlaflosigkeit hatten mich recht elend gemacht", schrieb er am 17. März, und ,,Ich habe mich vom Doctor gründlich untersuchen laßen. Das gefürchtete Herzübel ist nicht vorhanden, dagegen ein chron. Magenleiden, wogegen ich jetzt eine Cur gebrauche – Rauchen verboten", am 22. Dezember 1881 an seinen Verleger und Freund Otto Bassermann. Und in einem Brief an Maria Hesse vom 17. Januar 1882 heißt es: ,,Mit meinen Pullen und Pillen komm ich mir recht absunderlich vor. Hab aber wieder Appetit. Nur Schlaf und die Heiterkeit, welches mein Handwerkszeug ist, habe ich noch nicht recht wieder." Aber im Februar 1882 ging es im ,,wieder wohl. Eine Erinnerung dran, daß man nicht immer so umsonst durch diese Welt reisen soll, hat, denk ich, ihr gutes für mich gehabt". (an Maria Hesse, 4. April 1882). Auf sein Handwerkszeug, die Heiterkeit, brauchte Wilhelm Busch zu unserer aller Pläsier jedenfalls aus Krankheitsgründen gottlob nicht allzu häufig zu verzichten.   Dr. Hans Stengel

Allein man nimmt sich nicht in acht,
Und schlupp!,
ist man zur Welt gebracht.

Wohlbekannt im ganzen Orte,
Mit der Klingel an der Pforte,
Ist die Brave, Ehrenwerte,
Ofterprobte, Vielbegehrte,
Welche sich Frau Wehmut schrieb;
Und ein jeder hat sie lieb. –

Mag es regnen oder schneen,
Mag der Wind auch noch so wehen,
Oder wär' sie selbst nicht munter,
Denn das kommt ja mal mitunter –
Kaum ertönt an ihrer Klingel
Das bekannte: Pingelpingel! –
Gleich so ist Frau Wehmut wach
Und geht ihrer Nahrung nach.

Heute ist sie still erschienen,
Um bei Knoppens zu bedienen.
Auf dem Antlitz Seelenruhe,
An den Füßen milde Schuhe,
Wärmt sie sorglich ihre Hände,
Denn der Sommer ist zu Ende.
Also tritt sie sanft und rein
Leise in die Kammer ein.

Auch den Doktor Pelikan
Sieht man ernstbedächtig nahn,
Und es sagt sein Angesicht:
Wie es kommt,
das weiß man nicht.

Oh, was hat in diesen Stunden
Knopp für Sorgen durchempfunden.

Rauchen ist ihm ganz zuwider.
Seine Pfeife legt er nieder.

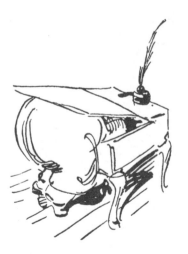

Ganz vergebens tief im Pult
Sucht er Tröstung und Geduld.

Oben auf dem hohen Söller,

Unten in dem tiefen Keller,
Wo er sich auch hinverfüge,
Angst verkläret seine Züge.

Ja, er greifet zum Gebet,
Was er sonst nur selten tät. –
Endlich öffnet sich die Türe,
Und es heißt: ,,Ich gratuliere!''
Friedlich lächelnd, voller Demut,
Wie gewöhnlich, ist Frau Wehmut. –
Stolz ist Doktor Pelikan,
Weil er seine Pflicht getan. –
Aber unser Vater Knopp
Ruft in einem fort: ,,Gottlob!''

Na, jetzt hat er seine Ruh. –

Ratsch! Man zieht den Vorhang zu.

(Herr und Frau Knopp)

21

Ich kam in diese Welt herein,
Mich baß zu amüsieren,
Ich wollte gern was Rechtes sein
Und mußte mich immer genieren.
Oft war ich hoffnungsvoll und froh,
Und später kam es doch nicht so.

Nun lauf ich manchen Donnerstag
Hienieden schon herummer,
Wie ich mich drehn und wenden mag,
's ist immer der alte Kummer.
Bald klopft vor Schmerz und bald vor Lust
Das rote Ding in meiner Brust.

(Kritik des Herzens)

Was man besonders gerne tut,
Ist selten ganz besonders gut.

Auch bemerkt er außerdem,
Was ihm gar nicht recht bequem,
Daß er um des Leibes Mitten
Längst die Wölbung überschritten,
Welche für den Speiseschlauch,
Bei natürlichem Gebrauch,
Wie zum Trinken, so zum Essen,
Festgesetzt und abgemessen. –
Doch es bietet die Natur
Hierfür eine sanfte Kur.
Draußen, wo die Blumen sprießen,
Karelsbader Salz genießen
Und melodisch sich bewegen,
Ist ein rechter Himmelssegen;
Und es steigert noch die Lust,
Wenn man immer sagt: Du mußt.

Knopp, der sich dazu entschlossen,
Wandelt treu und unverdrossen.
Manchmal bleibt er sinnend stehn;
Manchmal kann ihn keiner sehn.
Aber bald so geht er wieder
Treu beflissen auf und nieder –
Dieses treibt er vierzehn Tage;
Darnach steigt er auf die Waage;
Und da wird es freudig kund:
Heißa, minus zwanzig Pfund!
Wieder schwinden vierzehn Tage,
Wieder sitzt er auf der Waage,
Autsch, nun ist ja offenbar
Alles wieder, wie es war.

(Abenteuer eines Junggesellen)

Verschiedene Wirkungen des Dampfes

Erster: ,,Ach, ich fühle mich so unbehaglich voll, wie wohl würde es mir bekommen, wenn ich einige Dampfbäder nehmen könnte!"

Zweiter: ,,Ach, ich fühle mich so unbehaglich leer, wie wohl würde es mir bekommen, wenn ich einige Dampfnudeln zu mir nehmen könnte!"

(Fliegende Blätter und Münchener Bilderbogen, Zeichnung von Wilhelm Busch)

O wie ist das hinderlich,
Wenn man ringsherum an sich
So viel Fettigkeit besitzt,
Daß man pusten muß und schwitzt
Und nicht weiter denkt als bloß:
Wie werd' ich den Speck nur los?

(Der Privatier)

Enthaltsamkeit ist das Vergnügen
An Sachen, welche wir nicht kriegen.
Drum lebe mäßig, denke klug.
Wer nichts gebraucht, der hat genug.

(Die Haarbeutel: Einleitung)

Man hätte so gerne seine Ruh'
Und raucht' eine Pfeife Tabak dazu.
Gleich schreit der Doktor: Entweder – oder!
Spazieren – oder das Leben verlieren!
Drum lauf, du dicker Fettwanst, lauf!
Du dicker Fettwanst, lauf!

Man äße so gerne dann und wann,
Soviel man eben essen kann.
Gleich schreit der Doktor: Entweder – oder!
Spazieren – oder das Leben verlieren!
Drum lauf, du dicker Fettwanst, lauf!
Du dicker Fettwanst, lauf!

Man tränke so gerne dann und wann,
Soviel man eben trinken kann.
Gleich schreit der Doktor: Entweder – oder!
Spazieren – oder das Leben verlieren!
Drum lauf, du dicker Fettwanst, lauf!
Du dicker Fettwanst, lauf!

(Hänsel und Gretel)

Das Blut

Wie ein Kranker, den das Fieber
Heiß gemacht und aufgeregt,
Sich herüber und hinüber
Auf die andre Seite legt. –

So die Welt. Vor Haß und Hader
Hat sie niemals noch geruht.
Immerfort durch jede Ader
Tobt das alte Sünderblut.

(Schein und Sein)

Man sagt: Böse Träume kommen aus dem Magen. Und es
ist ja nur zu gewiß, daß man, wenn dieser prosaische
Hauptfaktor des Lebens nicht recht in Ordnung ist, nur zu
geneigt ist, alle Dinge von der schwärzesten Seite anzuse-
hen. Dagegen ist es aber auch ein Hochgefühl sonderglei-
chen, wenn dieser alte Schlauch wieder anfängt, seine
Schuldigkeit zu thun, und man dann so von innen heraus
mit wirklicher Herzensfreudigkeit darauf ausgeht, die ver-
lorenen Kräfte wieder zu ersetzen.

(an Erich Bachmann, 10. März 1874)

So geht es mit Tabak und Rum:
Erst bist du froh, dann fällst du um.

(Die Haarbeutel: Vierhändig)

Kalte Füße sind lästig, besonders die eigenen.

(Spricker)

Gesunder Magen bleibt unbeachtet:
viel Arbeit, wenig Dank.

(Kneipzeitungen)

Nervosität? Ein neumodisch Wort.
Sonst nannte man's böses Gewissen.

(Der Schmetterling)

Wird man im Mittagsschlaf gestört,
Das ist verdrießlich, das empört.

(Hernach: Unwillkommener Besuch)

Erquicklich ist die Mittagsruh,
Nur kommt man oftmals nicht dazu.

(Die Fliege)

Ich hörte mal, daß man Verdruß
Womöglich streng vermeiden muß.

(Spricker)

Schmerzgefühl bei großer Enge
Wirkt ermüdend auf die Länge.

Pardon! – Er tritt auf Bählamms Zeh. –
Des Lebens Freuden sind vergänglich;
Das Hühnerauge bleibt empfänglich.
Wie dies sich äußert, ist bekannt.
Krumm wird das Bein und krumm die Hand;
Die Augenlöcher schließen sich,
Das linke ganz absonderlich;
Dagegen öffnet sich der Mund,
Als wollt er flöten, spitz und rund.

Zwar hilft so eine Angstgebärde
Nicht viel zur Lindrung der Beschwerde;
Doch ist sie nötig jederzeit
Zu des Beschauers Heiterkeit.

(Balduin Bählamm)

Gemeines Schädelweh

(Der Morgen nach dem Silvesterabend)

Oh, was macht der Besenstiel
Für ein schmerzliches Gefühl!

(Abenteuer eines Junggesellen)

Das Eisen glüht, es zischt das Ohr,
Ein Dampfgewölk steigt draus hervor.

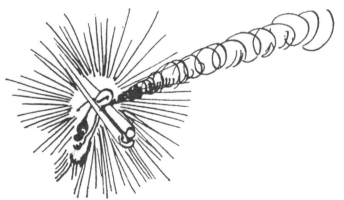

Die Schönheit dieser Welt verschwindet,
Und nur der Schmerz zieht, bohrt und mündet
In diesen einen Knotenpunkt,

Den Dümmel hier ins Wasser tunkt. –

(Fipps der Affe)

Doch nur ein kurzes Meck begleitet
Den Seitenstich, der Schmerz bereitet.

Ein Stoß grad in die Magengegend
Ist aber auch sehr schmerzerregend.

(Balduin Bählamm)

Wie die Kränzl-Bötin die ganze Woche mit ihrem kranken Maxl geplagt ist

Montag
„Herr Lehrer, ich kann mein'
Maxl nit in d' Schul schick'n,
er hat's so arg in seine Füß!"

Dienstag
„Heut kann ich mein' Maxl
nit in d' Schul schick'n, heut
hat er's in sein'm Arm!"

Mittwoch
Heut ist mein Maxl gar übel
dran, heut ist's ihm in d' Ach-
seln gezogen!"

Donnerstag
„Heut kann ich mein' Maxl wieder
nit in d' Schul schick'n, heut
hat er so was in beiden Händen!"

Freitag
,,Denkens,
heut liegt's ihm gar
im Rücken!"

Samstag
,,Heut ist Maxl gar übel dran,
denkens, jetzt is ihm ganz
drehend!"

Aber morgen ist Sonntag, da dürft' i vielleicht den Herrn Lehrer
bitten, daß Sie mein' Maxl a paar Extrastunden gäben; das arme
Büberl käm' sonst doch gar zu arg z'rück!"

(Fliegende Blätter und Münchner Bilderbogen, nur die Zeichnungen stammen von Wilhelm Busch)

Die Nacht verstrich. Der Morgen schlummert.
Hat unser Bählamm süß geschlummert?
Kennst du das Tierlein leicht beschwingt,
Was, um die Nase schwebend, singt?
Kennst du die andern, die nicht fliegen,
Die leicht zu Fuß und schwer zu kriegen?
Betrachte Bählamm sein Gesicht.
Du weißt Bescheid, drum frage nicht.

(Balduin Bählamm)

Ein Prall – ein Schall – dicht am Gesicht –
Verloren ist das Gleichgewicht.

So töricht ist der Mensch. – Er stutzt,
Schaut dämlich drein und ist verdutzt,
Anstatt sich hier mal solche Sachen
In aller Ruhe klarzumachen.

Hier strotzt die Backe voller Saft;
Da hängt die Hand, gefüllt mit Kraft.
Die Kraft, infolge von Erregung,
Verwandelt sich in Schwungbewegung.
Bewegung, die in schnellem Blitze
Zur Backe eilt, wird hier zur Hitze.
Die Hitze aber, durch Entzündung
Der Nerven, brennt als Schmerzempfindung
Bis in den tiefsten Seelenkern,
Und dies Gefühl hat keiner gern.

Ohrfeige heißt man diese Handlung,
Der Forscher nennt es Kraftverwandlung.

(Balduin Bählamm)

Ich saß vergnüglich bei dem Wein
Und schenkte eben wieder ein.
Auf einmal fuhr mir in den Zeh
Ein sonderbar pikantes Weh.
Ich schob mein Glas sogleich beseit
Und hinkte in die Einsamkeit
Und wußte, was ich nicht gewußt:
Der Schmerz ist Herr und Sklavin ist die Lust.

(Kritik des Herzens)

Daneben

Stoffel hackte mit dem Beile.
Dabei tat er sich sehr wehe,
Denn er traf in aller Eile
Ganz genau die große Zehe.

Ohne jedes Schmerzgewimmer,
Nur mit Ruh, mit einer festen,
Sprach er: Ja, ich sag es immer,
Nebenzu trifft man am besten.

(Zu guter Letzt)

Martinchen ist mit der Hand auf eine Hornisße getappt.
Weh thut's und schwillt, das weiß ich selber aus der
Kinderzeit. Aber nach ein paar Tagen ist's wieder dünn.
Wirf drum keinen Haß auf die Thierchen, denn sie stechen
nie aus Bosheit, sondern bloß aus Nothwehr oder Patriotis-
mus. –   (an Grete Meyer, 2. 8. 1897)

Eine Schwäre peinigt mich. –
Wo denn sitzt sie? –
Da wo ich.

(Spricker)

Im Kopf ertönt ein schmerzlich Summen,
Wir Menschen sagen: Schädelbrummen.

(Die Haarbeutel: Vierhändig)

Der bravste Bürger förchtet sich
Bei Nacht vor dem Insektenstich.

(Die gestörte, aber glücklich wieder errungene Nachtruhe)

Der Schmerz ist positiv. Die Freude negativ.

(Eduards Traum)

Es schwellen die Herzen,
Es blinkt der Stern.
Gehabte Schmerzen,
Die hab ich gern.

(Abenteuer eines Junggesellen)

✳ ✳ ✳

Die Gnädige hat sich übernommen;
Man muß ihr purgänzlich
zu Hilfe kommen.

Dem guten Knaben ist recht übel;
Drum schnell mit ihm zu Doktor Siebel.

Der Doktor Siebel horcht am Magen:
,,Da murkst ja einer, möcht ich sagen!
Und judizier' ich, daß der Knabe
Ein Ungetier im Leibe habe;

Als welches wir sogleich mit Listen
Gewissermaßen fangen müßten!"

,,Schau, schau! Da ist der Bösewicht!"

,,Allez!" – Der Schönste bist du nicht!"

(Schnurrdiburr oder Die Bienen)

* * *

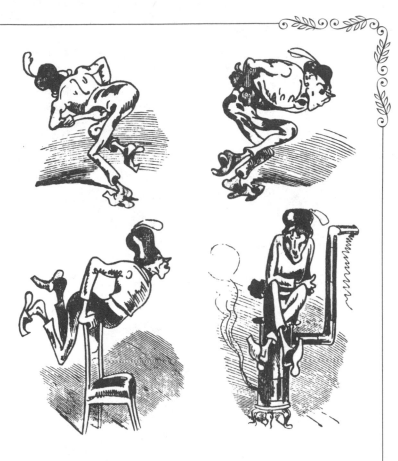

Wie denn Böck von der Geschichte
Auch das Magendrücken kriegte.

Hoch ist hier Frau Böck zu preisen!
Denn ein heißes Bügeleisen,
Auf den kalten Leib gebracht,
Hat es wiedergutgemacht.

Bald im Dorf hinauf, hinunter,
Hieß es: ‚Böck ist wieder munter!'

(Max und Moritz)

Jetzt war allerdings die Hauptsache geschehen, allein die Wunden, welche die Stacheln hinterlassen, mußten erst verheilt werden, und da mußte der Bader Dr. Bauxel kommen und auf jede Nase ein großes Pflaster legen.

(Die kleinen Honigdiebe)

Auch erhob sie eine Klage,
Daß sie's so im Leibe hat,
Weshalb sie vor allen Dingen
Erst um einen Kümmel bat.

(Die Haarbeutel: Fritze)

In einem Hüttchen arm und klein
Wohnt Lenchen und ihr Mütterlein.
Das Mütterlein ist schwach und krank
Und ohne Geld und Speis und Trank.

(Stippstörchen: Das brave Lenchen)

***

Nicht ohne ängstliche Vorurteile begab ich mich langsam humpelnd in das Empfangszimmer. Doktor Schnorz war schon in Tätigkeit. Er sah übrigens gar nicht so grausam aus, wie ich mir vorher gedacht hatte. Im Gegenteil. Seine frische Farbe, seine schwellenden Lippen, seine dicken, schalkhaften Augen, die aufgekrempelten Hemdsärmel, die Arbeitsschürze über dem rundlichen Bäuchlein, das alles machte durchaus den Eindruck eines sauberen Metzgermeisters, den jedermann gern hat.

Grad war er dabei, einen Landmann auszuforschen, in dessen Zügen sich tiefe Besorgnis malte.

,,Wie alt ist denn Euere Frau?"

,,Na!" meint der Bauer. ,,So fünfzig bis sechzig."

,,Schlagt das alte Weib tot. Mit der ist nichts mehr zu machen. Adieu!"

Als der Bauer, dessen Züge sich völlig erheitert hatten, an mir vorbeiging, hört' ich ihn sagen:

,,Das ist ein Doktor! Wenn er einsieht, es hilft doch nichts, so erspart er einem die Kosten."

Jetzt kam eine dicke Madam an die Reihe.

,,Ach, Herr Doktor!" fing sie zu klagen an. ,,Ich weiß nicht, ich bin immer so unruhig. Jede Stund in der Nacht hör' ich den Wächter blasen, und ich fürcht' mich so vor Mäusen und schlechten Menschen; das macht gewiß die Nervosität."

,,Ein neumodisch Wort!" sprach der Doktor. ,,Sonst nannte man's böses Gewissen. Ganz die Symptome. Halten Sie Ihre Zunge im Zaume, meine Gnädige. Seien Sie freundlich gegen Ihre Dienstboten. Viel Wasser! Wenig Likör! Gute Besserung, Madame!"

Diese Dame, als sie hinaussegelte, schien mir von den heilsamen Ratschlägen des Doktors Schnorz durchaus nicht befriedigt zu sein.

Und jetzt kam ich.

„Ah!" rief Schnorz mit freudigem Erstaunen. „Seh' ich recht? Erlaubt mal eben. Es ist bloß zur Probe."

Während er diese Äußerungen hinwarf, hatte er mir auch schon die große Zehe abgeschnitten und legte sie unter sein Vergrößerungsglas.

„Hab's gleich gedacht!" sprach er befriedigt. „Der richtige Höllenbrand. Kurzab! ist das Beste."

„Ist's lebensgefährlich" fragt' ich ängstlich.

„Warum das nicht?" erwiderte der Doktor. „Aber seid nur getrost, wenn's schiefgeht, wird die Welt zur Not auch ohne euch fertig werden. Da, seht mich an. Heut', wenn ich sterb', ist morgen ein anderer da, und ich freu' mich schon drauf, daß die Juden kein Geld kriegen."

Hiermit drückte er mich in einen behaglichen Lehnsessel, schnallte mich fest, ergriff ohne weiteres die Säge und ging eifrig ins Geschirr. Bei jedem Schnitt, den er tat, stieß er ein kurzes, ächzendes „Ha!" aus. Erst ging es gnatsch – gnatsch –, dann ging es ratz – ratz! Zuletzt ging es bump! Da! Mein Fuß war mich losgeworden.

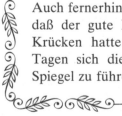

Auch fernerhin verlief die Sach sehr rasch und günstig, so daß der gute Doktor, der mir inzwischen zwei schöne Krücken hatte anfertigen lassen, schon nach vierzehn Tagen sich die Freude machen konnte, mich vor den Spiegel zu führen.

Der, den ich darin erblickte, gefiel mir nicht. Kopf kahl, Nase rot, Hals krumm, Bart struppig; ein halber Frack, ein halbes Bein; summa summarum ein gräßlicher Mensch. Und das war ich.

Aber eh' ich noch Zeit hatte zu weinen, rief der Doktor triumphierend:

,,He? Wie? Was sagt ihr nun? Schmucker Kerl fürwahr! Reiche Frau heiraten. Alles in Ordnung! Gratuliere! Und glückliche Reise!"

Gerührt und dankbar drückt' ich dem Doktor, der alles umsonst getan, die fleischige Hand, verließ die Stadt und begab mich auf die Dörfer in der Absicht, mich langsam so weiter zu betteln, bis ich schließlich nach Hause käme.

Letzteres ging schneller, als ich dachte.

(Der Schmetterling)

Hätten sie ahnen können, was die nächste Zukunft unter der Schürze trug, sie hätten wohl nicht so lieblos geurteilt über die körperlichen Verhältnisse einer Freundin, welche nun bald ebenso tot sein sollte wie sie selber.

Die freundliche Bauersfrau nämlich trat aus der Tür des Hauses, lockte unter dem Vorwande von Brotkrumen die Schnabeltiere in den Küchenraum und hackte ihnen die Köpfe ab.

Sie hackte sich aber auch, weil sie natürlich mal wieder zu hastig war, dabei in den Zeigefinger. Das Beil war rostig. Der Finger verdickte sich. Schon zeigten sich alle Symptome einer geschwollenen Blutwurst.

Der Doktor kam. Er wußte Bescheid. Erst schnitt er ihr den Finger ab, aber es half nicht; dann ging er höher und schnitt ihr den Ärmel ab, aber es half nicht; dann schnitt er ihr den Kopf ab, aber es half nicht; dann ging er tiefer und schnitt ihr die Trikottaille ab, und dann schnitt er ihr die wollenen Strümpfe ab, aber es half nicht; als er aber an die empfindlichen Hühneraugen kam, vernahm man einen durchdringenden Schrei, und im Umsehn war sie tot.

Der Bauer war untröstlich; denn das Honorar betrug 53 Mark 75 Pfennig. Der Doktor steckte das Honorar in sein braunlederenes Portemonnaie; der Bauer schluchzte. Der Doktor steckte sein braunlederenes Portemonnaie in die Hosentasche; der Bauer sank auf einen geflochtenen Rohrstuhl und starrte seelenlos in die verödete Welt hinaus.

Der Doktor besaß Takt. Andante ritt er vom Hofe weg, und erst dann, als er die Landstraße erreichte, fing er scherzando zu traben an, und zwar englisch. Er wußte noch nicht, daß seine Hosentasche im stillen ein Loch hatte.

Inzwischen begab sich der betrübe Witwer in den Schwei-

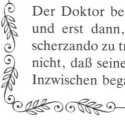

nestall und besah seine Ferkel. Es waren ihrer dreizehn, à Stück 22 Mark. Seine Tränen flossen langsamer. Als er wieder ins Freie trat, war er ein neuer Mensch geworden.

(Eduards Traum)

Durch das einmütige Zusammenwirken sämtlicher Forscher auf sämtlichen Gebieten der Wissenschaft war hier in der Tat ein solch angenehmes Kommunalwesen zustande gekommen, daß selbst ein im Hergebrachten verhärteter Kopf hätte zugeben müssen, es sei mehr, als er jemals für möglich gehalten.

. . . Mit dem fünfunddreißigsten Jahre zieht man auf Leibzucht. Stehlen hat keiner mehr nötig; höchstens wird von kleinen Knaben noch mal hin und wieder eine Zigarre stibitzt. Man betrachtet dergleichen als angeborenen Schwachsinn, wo der Betreffende im Grunde nichts für kann, und bringt ihn deshalb in die Anstalt für Staatstrottel zu den übrigen. Auch andere Krankheiten gibt's wohl noch, doch hat man Mittel gefunden, daß keine mehr weh tut, und was das Faulfieber betrifft, welches, besonders in den wärmeren Monaten, nicht eben sehr selten ist, so kuriert man es nach und nach durch Wohlwollen und nachsichtige Behandlung. Man muß nur Geduld haben.

Der Tod ist freilich auch hierzulande nicht ausgeschlossen; nur ist man viel zu aufgeklärt und besitzt im Hinblick auf die Höhe der eigenen Leistungen ein viel zu edeles Selbstgefühl, um sich der Befürchtung hinzugeben, es könne hernach am Ende doch noch etwas passieren, woran niemand eine rechte Freude hat.

(Eduards Traum)

Der Nöckerkreis

Es war mal 'ne alte runde Madam,
Deren Zustand wurde verwundersam.
Bald saß sie grad, bald lag sie krumm,
Heut war sie lustig und morgen frumm;
Oft aß sie langsam, oft aber so flink
Wie Heinzmann, eh er zum Galgen ging.
Oft hat sie sogar ein bissel tief
Ins Gläschen geschaut, und dann ging's schief.
Sodann zerschlug sie mit großem Geklirr
Glassachen und alles Porzellangeschirr.
Da sah denn jeder mit Schrecken ein,
Es muß wo was nicht in Ordnung sein.

Und als sich versammelt die Herren Doktoren,
Da kratzten dieselben sich hinter den Ohren.

Der erste sprach: Ich befürchte sehr,
Es fehlt der innere Durchgangsverkehr;
Die Gnädige hat sich übernommen;
Man muß ihr purgänzlich zu Hilfe kommen.
Der zweite sprach: O nein, mitnichten!
Es handelt sich hier um Nervengeschichten.
Das ist's – sprach der dritte – was ich auch ahne,
Man liest zu viele schlechte Romane.
Oder – sprach der vierte – sagen wir lieber,
Man hat das Schulden- und Wechselfieber.
Ja – meint der fünfte – das ist es eben;
Das kommt vom vielen Lieben und Leben.
O weh! – rief der sechste – der Fall ist kurios;
Am End ist die oberste Schraube los.

Hah! – schrie der letzte – das alte Weib
Hat unbedingt den Teufel im Leib;
Man hole sogleich den Pater her,
Sonst kriegen wir noch Malör mit der.

Sahst du das wunderbare Bild von Brouwer?
Es zieht dich an wie ein Magnet,
Du lächelst wohl, derweil ein Schreckenschauer
Durch deine Wirbelsäule geht.

Ein kühler Doktor öffnet einem Manne,
Die Schwäre hinten im Genick;
Daneben steht ein Weib mit einer Kanne,
Vertieft in dieses Mißgeschick.

Ja, alter Freund, wir haben unsre Schwäre
Meist hinten. Und voll Seelenruh
Drückt sie ein anderer auf. Es rinnt die Zähre,
Und fremde Leute sehen zu.

(Kritik des Herzens)

Im Sommer

In Sommerbäder
Reist jetzt ein jeder
Und lebt famos.
Der arme Doktor,
Zu Hause hockt er
Patientenlos.

Von Winterszenen,
Von schrecklich schönen,
Träumt sein Gemüt,
Wenn, Dank ihr Götter,
Bei Hundewetter
Sein Weizen blüht.

(Schein und Sein)

Ich bin der Doktor, der Wundermann,
Ihr Herrn und Damen, kommt heran;
Ja, ohne viel zu renommieren:
Ich kann jedes Ding kurieren.
Kopfweh, Zahnweh, Podraga,
Rheumatismus, Cholera,
Hühneraugen und dergleichen
Müssen meinem Willen weichen.
Ja, ohne viel zu renommieren:
Krumme Haxen mach' ich grade,
Kahlen Köpfen hilft Pomade,
Ja selbst die Pein im Herzen,
Heil' ich ohne Schmerzen!
Und wird das Ding nicht besser,
So nehm' ich gleich das Messer,
Die Nasen, die Ohren,
Die Arme, die Beine,
Und wär's der Kopf,
Schnipp, schnapp, ich schneid' sie ab!

(Liebestreu und Grausamkeit)

Seit dem Tage Deiner Abreise hat mich das Schleimfieber. Anfangs habe ich mich stark dagegen gesträubt, ich ging aus während ein paar schöner Tage, aber plötzlich warf es mich unwiderstehlich nieder; einige Zeit glaubte ich, es sei aus mit mir. Nachdem ich nun drei Wochen ununterbrochen das Bett gehüthet, kann ich seit etwa 8 Tagen wieder auf sein, worin ich es jetzt fast bis auf einen Tag gebracht habe. Mein Apetit hat sich vortrefflich wieder eingefunden, so daß ich von Tag zu Tage meine Kräfte wachsen fühle und wieder etwas Fleisch sammle. Es war auch gar zu erbärmlich. Freilich auch jetzt schlottert mir noch die Hose an den Gebeinen; Popo und Bauch sind wie weggeblasen; nun! ich gräme mich nicht darum; nur kostet es doch etwas viel Geld, besonders, wenn ich das mitrechne, was in der Zeit hätte verdient werden können.

(an Otto Bassermann, 20. 11. 1860)

Und Weh-Weh hat das gute Kind am Fuß und muß zu Hause sitzen. Nun! Darin kannst du sicher auf meine Theilnahme rechnen; denn gestern, als dein freundlicher Brief in meine Hände kam, war ich eben im Begriff, nach sechs schlaflosen Nächten und eben soviel verhungerten Tagen meine müden Knochen in die Frühlingssonne zu schleppen, um nach einer langweiligen, nun glücklich überstandenen Halsgeschwulst wieder einmal frische Luft zu schöpfen.   (an Dora Ebhardt, 19. 3. 1862)

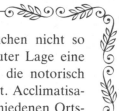

Mit dem Typhus wird es in München nicht so schlimm sein, wenn du nur in guter Lage eine Wohnung acquiriren kannst und die notorisch gefährlichen Straßen und Häuser vermeidest. Acclimatisationskrankheiten wirst du überall bei entschiedenen Ortsveränderungen durchmachen müßen.

(an Otto Bassermann, 18. 12. 1872)

Ich habe einen Schnupfen, als hätt ich den Schädel voll Schusterpech und Sauerkraut.

(an Johanna Keßler, 4. 5. 1873)

Ja, wenn wir unsern Husten nur auch mit unterpflügen könnten! – Denn Sie dürfen nicht glauben, daß Sie den nur allein haben. – Nein, nein! – Ich habe mir, wenn auch keinen Achundkrachhusten, so doch einen guten, hausbackenen Leerer-Juden- und Pferdshusten mitgebracht.

(an Maria Hesse, 16. 8. 1879)

Mir geht's wieder beßer, aber doch noch nicht gut. Besonders Schlaflosigkeit höhlt den Menschen aus. Du hast es ja auch wohl schon empfunden. Ich lebe sehr eingeschränkt und mäßig; trinke Mittags nur ein wenig Bier und keinen Wein.

(an Otto Bassermann, 14. 12. 1881)

Über deinen lustigen Brief hab ich recht geschmunzelt; konnt's auch so schon seit einigen Tagen. Kurzum, es geht wieder gut. – War auch zu scheußlich, den Kopf alleweil voll Watte zu haben, daß kein lustiger Floh drin hupfen kunnt. – Jetzt heißt's kritzekratze und an die sogenannte Arbeit, daß nachgeholt wird, was seither verpaßt wurde.

(an Friedrich August von Kaulbach, 28. 1. 1882)

Inzwischen feiert die schöne Frau Cholera immer glänzendere Triumphe. Freilich, unsere zwei hartleibigen Herzen würde sie wohl so leicht nicht erobern; doch wär's schon unbequem genug, wenn die Herren Gesundheitspolizisten, welche nur zu leicht bei dem Reisenden ein unzartes Verhältniß zu derselben herausschnüffeln, uns ein wenig ausräucherten, oder gar für einige Tage, fernab von der Kunst, unter sorgsame Kontrolle stellten.

(an Franz von Lenbach, 27. 8. 1892. Anspielung auf die letzte große Choleraepidemie in Europa in den Jahren 1892/93)

Frau Grippe, die Hex, scheint endlich doch abzufahren. Den Herbst, den Winter hat sie wiederholentlich dageseßen zu Nacht vor dem Bett und hat mir was vorgesungen zu ihrer alten Guitarre, daß ich ärgerlich munter blieb, ja, zuweilen sogar phantasievoll-bedenklich wurde. (an Franz von Lenbach, 21. 2. 1894)

Obendrein ist's ein gesegnetes Jahr für die Mücken, denen man das bischen Blut allenfalls gönnen könnte, wenn sie Einem nur nicht zugleich impften mit dem, was aus ihrer faulen Heimath her an ihnen hängen blieb. Nie, deucht mir, hab ich so emsig kratzen müßen wie heuer.   (an Grete Meyer, 9. 6. 1897)

Viel besser als ein guter Wille
Wirkt manchmal eine gute Pille.

(Spricker)

Er bedenkt, daß die Kamille
manchmal manche Schmerzen stille.

(Julchen)

Der Doktor sieht aus dem Fenster:
Noch immer kein Ostwind?
Noch immer keine Lungenentzündung?

(Spricker)

Das Zahnweh, subjektiv genommen,
Ist ohne Zweifel unwillkommen.

Oftmalen bringt ein harter Brocken
Des Mahles Freude sehr ins Stocken.

So geht's nun auch dem Friedrich Kracke;
Er sitzt ganz krumm und hält die Backe.

Um seine Ruhe ist's getan;
Er biß sich auf den hohlen Zahn.

Nun sagt man zwar: Es hilft der Rauch!
Und Friedrich Kracke tut es auch;

Allein schon treiben ihn die Nöten,
Mit Schnaps des Zahnes Nerv zu töten.

Er taucht den Kopf mitsamt dem Übel
In einen kalten Wasserkübel.

Jedoch das Übel will nicht weichen;
Auf andre Art will er's erreichen –

Umsonst!
Er schlägt, vom Schmerz bedrängt,
Die Frau, die einzuheizen denkt.

Auch zieht ein Pflaster hinterm Ohr
Die Schmerzen leider nicht hervor.

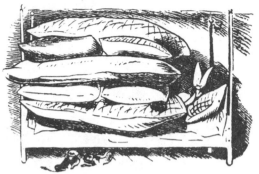

Vielleicht, so denkt er, wird das Schwitzen
Möglicherweise etwas nützen.

Indes die Hitze wird zu groß;
Er strampelt sich schon wieder los;

Und zappelnd mit den Beinen,
Hört man ihn bitter weinen.

Jetzt sucht er unterm Bette
Umsonst die Ruhestätte.

Zuletzt fällt ihm der Doktor ein.
Er klopft. – Der Doktor ruft: ,,Herein!

Ei, guten Tag, mein lieber Kracke,
Nehmt Platz! Was ist's denn mit der Backe?

Laßt sehn! Jaja! Das glaub' ich wohl!
Der ist ja in der Wurzel hohl!"

Nun geht der Doktor still beiseit.
Der Bauer ist nicht sehr erfreut.

Und lächelnd kehrt der Doktor wieder,
Dem Bauer fährt es durch die Glieder.

Ach! Wie erschrak er, als er da
Den wohlbekannten Haken sah.

Der Doktor, ruhig und besonnen,
Hat schon bereits sein Werk begonnen,

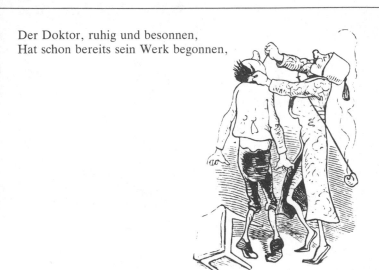

Und unbewußt nach oben
Fühlt Kracke sich gehoben.

Und rack – rack! Da haben wir den Zahn,
Der so abscheulich weh getan!

Mit Staunen und voll Heiterkeit
Sieht Kracke sich vom Schmerz befreit.

Der Doktor, würdig, wie er war,
Nimmt in Empfang sein Honorar.

Und Friedrich Kracke setzt sich wieder
Vergnügt zum Abendessen nieder.

(Der hohle Zahn)

* * *

Das Zahnweh, subjetiv genommen,
Ist ohne Zweifel unwillkommen;
Doch hat's die gute Eigenschaft,
Daß sich dabei die Lebenskraft,
Die man nach außen oft verschwendet,
Auf einen Punkt nach innen wendet
Und hier energisch konzentriert.
Kaum wird der erste Stich verspürt,
Kaum fühlt man das bekannte Bohren,
Das Rucken, Zucken und Rumoren –
Und aus ist's mit der Weltgeschichte,
Vergessen sind die Kursberichte,
Die Steuern und das Einmaleins.
Kurz, jede Form gewohnten Seins,
Die sonst real erscheint und wichtig,
Wird plötzlich wesenlos und nichtig.

Ja, selbst die alte Liebe rostet –
Man weiß nicht, was die Butter kostet –
Denn einzig in den engen Höhle
Des Backenzahnes weilt die Seele,
Und unter Toben und Gesaus
Reift der Entschluß: Er muß heraus! –

Noch eh' der neue Tag erschien,
War Bählamm auch soweit gediehn.

Er steht und läutet äußerst schnelle
An Doktor Schmurzel seiner Schelle.

Der Doktor wird von diesem Lärme
Emporgeschreckt aus seiner Wärme.
Indessen kränkt ihn das nicht weiter;
Ein Unglück stimmt ihn immer heiter!
Er ruft: ,,Seid mir gegrüßt, mein Lieber!
Lehnt Euch gefälligst hintenüber!

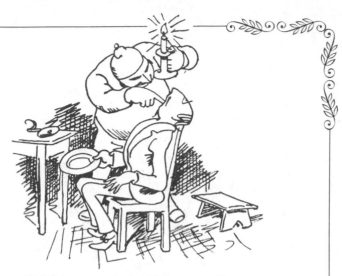

Gleich kennen wir den Fall genauer!"
(Der Finger schmeckt ein wenig sauer).

,,Nun stützt das Haupt auf diese Lehne
Und denkt derweil an alles Schöne!

Holupp!
Wie ist es? Habt Ihr nichts gespürt?"
,,Ich glaub', es hat sich was gerührt!"

,,Da dies der Fall, so gratulier' ich!
Die Sache ist nicht weiter schwierig!

Hol– – –upp!!!"
Vergebens ist die Kraftentfaltung;
Der Zahn verharrt in seiner Haltung.

„Hab's mir gedacht!" sprach Doktor Schmurzel.
„Das Hindernis liegt in der Wurzel.

Ich bitte bloß um drei Mark zehn!
Recht gute Nacht! Auf Wiedersehn!"

(Balduin Bählamm)

***

Dem hohen lyrischen Poeten
Ist tiefer Schmerz gewiß vonnöten;
Doch schwerlich, ach, befördert je
Das ganz gewöhnliche Wehweh,
Wie Bählamm seines zum Exempel,
Den Dichter in den Ruhmestempel.

Die Backe schwillt. – Die Träne quillt.
Ein Tuch umrahmt das Jammerbild.
Verhaßt ist ihm die Ländlichkeit
Mit Rieken ihrer Schändlichkeit,
Mit Doktor Schmurzels Chirurgie,
Mit Bäumen, Kräutern, Mensch und Vieh.

(Balduin Bählamm)

Ich meine doch, so sprach er mal,
Die Welt ist recht pläsierlich.
Das dumme Geschwätz von Schmerz und Qual
Erscheint mir ganz ungebührlich.

Mit reinem kindlichen Gemüt
Genieß ich, was mir beschieden,
Und durch mein ganzes Wesen zieht
Ein himmlischer Seelenfrieden. –

Kaum hat er diesen Spruch getan,
Aujau! so schreit er kläglich.
Der alte hohle Backenzahn.
Wird wieder mal unerträglich.

(Kritik des Herzens)

Es bricht der schön polierte Stuhl
Mit schrecklichem Geknacke.
Im Zahne regt sich Schmerzgefühl
Und höher schwillt die Backe.
Und auch im Strumpfe ärgerlich
Fühlt man das Weh der Wade.
Die Guste mag den Göthe nich,
Achott! Das ist doch schade!

(an Carl Holle, 4. 2. 1876)

Gründliche Heilung

Es saß der fromme Meister
Mit Weib und Kind bei Tisch.
Ach, seine Lebensgeister
Sind nicht wie sonst so frisch.

Er sitzt mit krummem Nacken
Vor seinem Leibgericht,
Er hält sich beide Backen,
Worin es heftig sticht.

Das brennt wie heiße Kohlen.
Au, schreit er, au, verdammt!
Der Teufel soll sie holen,
Die Zähne allesamt!

Doch gleich, wie es in Nöten
Wohl öfter schon geschah,
Begann er laut zu beten:
Hilf, Apollonia!

Kaum daß aus voller Seele
Er diesen Spruch getan,
Fällt aus des Mundes Höhle
Ihm plötzlich jeder Zahn.

Und schmerzlos, Dank dem Himmel,
Schmaust er, wie sonst der Brauch,
Nur war es mehr Gemümmel,
Und lispeln tät er auch.

Pohsit! Wie klingt es niedlich
Des Meisters Säuselton.
Er trank, entschlummert friedlich,
Und horch, da schnarcht er schon.

(Schein und Sein)

Mitunter sitzt die ganze Seele
In eines Zahnes dunkler Höhle.

(Spricker)

Ein Zahn, ein hohler, macht mitunter
Sogar die faulsten Leute munter.

(Spricker)

Ein hohler Zahn ist ein Asket
Der allen Lüsten widersteht.

(Kneipzeitung „Jung-München")

Ein weher Zahn – schlechter Schlafkumpan.

(Spricker)

* * *

Das Alter kommt und
zieht dich krumm
Und stößt dich rücksichtslos hinunter
Ins dunkle Sammelsurium.

Carolus Magnus kroch ins Bett,
Weil er sehr gern geschlafen hätt'!

Jedoch vom Sachsenkriege her
Plagt ihn ein Rheumatismus sehr.

Die Nacht ist lang, das Bein tut weh;
Carolus übt das Abc.

,,Autsch, autsch!"
Da reißt's ihn aber wieder;
Carolus wirft die Tafel nieder.

Er schellt. – Der alte Friedrich rennt. –
,,Frottier er mich! Potz sapperment!"

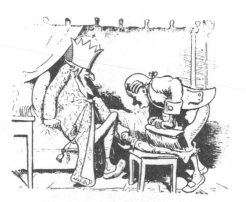

Der Friedrich spricht:
,,Hab's gleich gedacht!
Es schneit ja schon die halbe Nacht!"

(Eginhard und Emma)

***

Der Dicke aber – autsch! mein Bein! –
Hat wieder heut das Zipperlein.

(Der neidische Handwerksbursche)

Dem Herrn Inspektor tut's so gut,
Wenn er nach Tisch ein wenig ruht.

(Die Fliege)

Zum Geburtstag im Juni (gekürzt)

Stets wird auch Ruhm erwerben
Der Herbst, vorausgesetzt,
Daß er mit vollen Körben
Uns Aug und Mund ergötzt.

Indeß durch leises Tupfen
Gemahnt er uns bereits:
Bald, Kinder, kommt der Schnupfen
Und's Gripperl seinerseits.

(Schein und Sein)

Ehedem, getreu und fleißig,
Tät er manchen tiefen Zug.
Erst, nachdem er zweimal dreißig,
Sprach er: Itzo sei's genug.

Von den Taten, wohl vollbrungen,
Liebt das Alter auszuruhn,
Und nun ist es an den Jungen,
Gleichfalls ihre Pflicht zu tun

Wilhelm Busch
Mechtshausen, April 1903

(An die Eisenacher Giftbrüder als Dank für ein übersand-
tes Trinkglas zum 70. Geburtstag)

Wohl ehedem, da trank des Weines
Auch ich mein' Teil und zwar kein kleines,
Nun aber muß ich mich bequemen,
Das Ding mehr objektiv zu nehmen,
Und still verborgen hinter'm Zaun,
Wenn and're trinken, zuzuschau'n.

Und wahrlich! Wenn man fünfundfunfzig,
Dann ist es Zeit, daß die Vernunft sich
Vernehmen läßt und weise spricht:
,,Hör, Alter! Das bekommt dir nicht!" –
Auch spürt man, daß man gar nicht mehr
So liebenswürdig, wie vorher.

Da ich denn also fürderhin
Zur Zierde nicht zu brauchen bin,
Und wäre nur wie dürres Reisig
Im frischen Kranz der ,,fünfunddreißig",
Und weil mein Saitenspiel schon staubig,
So seh' ich, fühl' ich, denk' ich, glaub' ich,
Es ist für mich weitaus das Beste,
Ich bleib' von diesem Jubelfeste,
Von Faß und Spaß und Glas und Naß
Zu Haus mit meinem Brummelbaß.

Wiedensahl. (20. Juni 1887)
Wilhelm Busch.

(An die Abiturienten des Mariahilfer Gymnasiums in Wien
nach einer Bitte um ein Gedicht für ihre Kneipzeitung)

Der Paletot als Wärmehalter
Ist gut, besonders für das Alter.
Nur fühlte mancher sich bewogen,
Der ihn zu Hause angezogen,
Ihn draußen wieder auszuziehn,
Und kommt darauf ein schneller Regen,
Ein kühler Wind, so hat er ihn
Von neuem eilig anzulegen.
Vergeblich meistens dann zur Hülfe
Wünscht man herbei sich eine Sylphe.
Was ist zu machen? Nun, ich spiele
Halt Selbstbedienung wie so viele,
Und quäle mich bald so bald so
Mit dem verflixten Paletot.

(an Frieda Michitsch in Oravicza/Ungarn in Erwiderung
eines Briefes zu Buschs 70. Geburtstag)

Helene strickt die guten Jacken,
Die so erquicklich für den Nacken;
Denn draußen wehen rauhe Winde. –
Sie fertigt auch die warme Binde;
Denn diese ist für kalte Mägen
Zur Winterzeit ein wahrer Segen.
Sie pflegt mit herzlichem Pläsier
Sogar den fränk'schen Offizier,
Der noch mit mehren dieses Jahr
Im deutschen Reiche seßhaft war. –
Besonders aber tat ihr leid
Der arme Leute Bedürftigkeit. –
Und da der Arzt mit Ernst geraten,
Den Leib in warmen Wein zu baten,
So tut sie's auch.
Oh, wie erfreut
Ist nun die Schar der armen Leut',
Die, sich recht innerlich zu laben,
Doch auch mal etwas Warmes haben.

(Die fromme Helene)

Es ist ja allerdings recht löblich von alten Herren und ihrer Gesundheit ganz zuträglich, wenn sie die alten zähen Säfte mal ordentlich in Circulation versetzen und sich mal gehörig ausschwitzen; aber wenn ich an die jungen Damen denke, welche dabei gewißermaßen als Knochenöl verwendet werden, wenn ich mir vergegenwärtige, was der Tanz eigentlich für eine tiefere Bedeutung hat, so fürchte ich doch, daß die größte Genugthuung auf der bejahrten Seite gewesen ist.

(an Erich Bachmann, Mitte Februar 1875)

So ist es leider mit unserer Lebenszeit. Erst trägt sie uns und spielt mit uns und deutet in die Hoffnungsferne; dann geht sie Arm in Arm mit uns und flüstert gar hübsche Dinge; aber so zwischen vierzig und fünfzig, da plötzlich hängt sie sich als Trud auf unsere Schultern, und wir müßen sie tragen. – Auch mir fängt's an ungemüthlich zu werden in dieser Welt; Madam rosa Phantasie empfiehlt sich reisefertig durch die Vorderthür und herein durch die Hinterthür tritt Madam Schwarz. – Ich leide wieder, wie im Frühjahr, an Appetit- und Schlaflosigkeit. Wer die letztere kennt, weiß, was für ein böses, verdrießliches, endloses Chaos einen Menschenkopf beunruhigen kann. Meine alte Philosophie langt nicht mehr aus; ich sehe mich nach einer neuen um.

(an Marie Hesse, 5. 11. 1881)

Sonderbare Menschheit!" Ja, sehr! – daß dem Einen nicht erlaubt ist, die Schmerzen des Andern durch den Tod zu verkürzen, wie man's dem Thier zu thun keine Bedenken trägt, scheint mir doch nicht so verwunderlich. Der Gesetzgeber mußte die niederträchtige subjektive Willkühr zu verhindern suchen; und wollte der Staat in solchem Falle selbst eintreten, so würde die wissenschaftliche Leidensverkürzungskommißion vermuthlich vor dem Wer weiß? zurückschrecken. – Ferner, Thier und Mensch sind dem Grade nach himmelweit verschieden. So ein Menschenschädel hat seine aparten Winkel. Nicht einmal zu der zweifelhaften Freiheit des gewöhnlichen Selbstmörders, der meint, daß er ewig weg ist, wenn er's Licht ausputzt, vermag sich unser Bruder Schlängel- oder Plätscher- oder Flattermann empor zu schwingen; gang abgesehen von denjenigen, welcher untertaucht in der Hoffnung, an einer günstigeren Stelle wieder aufzutauchen, wobei er dann die Rechnung ohne den Wirth macht, indem kein altes Übel so groß ist, daß es nicht von einem neuen übertroffen werden könnte. Zu dem Gedanken aber, das Dasein überhaupt sei Irrthum oder Schuld, hat sich selbst der Intellekt des Menschen erst mühsam hindurch gearbeitet. Den Irrthum hebt die Erkenntniß auf, die Schuld wird getilgt durch freiwillig auferlegte Buße. Das erste versuchte der große Weise in Indien mit der Versenkung in die vier heiligen Wahrheiten, das andere war von jeher die Aufgabe des Asketen. Beiden wäre der voreilige Schnitt durch den Lebensfaden eine empörend zwecklose That. Eine Sekunde noch kann für ihr Heil entscheidend sein. – Ich schweig vor der höchsten Auffaßung. Der Christ betet bekanntlich um Abwendung eines plötzlichen Todes.

(an Friedrich August von Kaulbach, 24. 12. 1883)

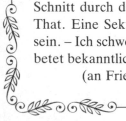

Die Zeit ist leider eine alte Hex. Die Meisten, so wie sie einigermaßen angejährt sind, kriegen den Hexenschuß, eine Steifigkeit im Genick, können den Hals nicht mehr zur Seite drehen nach den neuen Anlagen; gehn der knöchernen Nase nach der Richtung, wie sie jugendlich angetreten. Die leidlich Gerechten drunter denken: Schon gut! Es muß was Frisches hängen in der Speisekammer, wenn die peinlich-dominirenden alten Schinken mal glücklich verrestaurirt sind.

(an Franz von Lenbach, 28. 7. 1888)

Influenza, die alte Trud, die doch manchen umgestoßen, der schon wacklichst war, hat nun auch eingepackt und will abdampfen in den unendlichen Raum; hoffentlich ohne Retourbillet. Wie kommt's eigentlich, daß so überwiegend viel Krankheiten weiblichen Geschlechts sind? Nur ein paar scherzhafte, wie Kater, Mumms, Pips u.s.w., sind Mannsbilder. Das erregt Anstoß bei Jedem, der die Damen zu schätzen weiß.

(an Franz von Lenbach, Februar 1890)

Du fragst nach meinem Befinden. Ja ja! Die Zeit, gleich einem Raubvogel, wie's mal so geht in der Welt, hat auch mich beim Kragen und trägt mich hinweg. Meist kaum merklich – aber mitunter, wenn sie mir mal einen aparten Klapps giebt an die Ohren mit ihren Flügeln, und ich besinne mich umd beseh mich genauer, dann find ich jedes Mal, daß ich wieder um tausend Jahr älter geworden. Und schöner, in gewißem Alter, wird auch wohl Keiner. (an Nanda Keßler, 27. 12. 1893)

Zu meiner Freude scheint sich das Befinden meiner Schwester nun doch entschieden zu beßern. Die Ärzte haben sie schrecklich verwundet. Bei alten Leuten heilt daß nur langsam. Der innere Baumeister, der den Körper bildet, hat eben später nicht mehr so viel Lust oder Kraft zu den nöthigen Reparaturen, wie in der Jugendzeit. Sieht man dergleichen in der Nähe, dann wird man eindringlich daran erinnert, was man sonst fast vergißt, daß selten Wer an das Ende der Fahrt gelangt, ohne zuletzt noch schmerzlich gerüttelt zu werden.

(an Johanna Keßler, 1. 2. 1899)

Mich selbst plagt Schnupfen und Husten; eine Belästigung, die ich gelaßen ertrage, denn dafür, daß man lebt, muß man sich zwicken laßen, ja das Leben wird schließlich sogar mit dem Tode bestraft.

(an Nanda Keßler, 16. 9. 1907)

Rotwein ist für alte Knaben
Eine von den besten Gaben.

(Abenteuer eines Junggesellen)

* * *

Ja, mein guter, wohlsituierter und lebendiger Leser! So muß man überall bemerken, daß es Verdrießlichkeiten gibt in dieser Welt und daß überall gestorben wird. Du aber sei froh. Du stehst noch da, wie selbstverständlich, auf deiner angestammten Erde. Und wenn du dann dahinwandelst, umbraust von den ahnungsvollen Stürmen des Frühlings, und deine Seele schwillt mutig auf, als solltest du ewig leben; wenn dich der wonnige Sommer umblüht und die liebevollen Vöglein in allen Zweigen singen; wenn deine Hand im goldenen Herbst die wallenden Ähren streift; wenn zur hellglänzenden Winterzeit dein Fuß über blitzende Diamanten knistert – hoch über dir die segensreiche Sonne oder der unendliche Nachthimmel voll winkender Sterne – und doch, durch all die Herrlichkeit hindurch, allgegenwärtig, ein feiner, peinlicher Duft, ein leiser, zitternder Ton – und wenn du dann nicht so was wie ein heiliger Franziskus bist – sondern wenn du wohlgemut nach Hause gehst zum gutgekochten Abendschmaus und zwinkerst deiner reizenden Nachbarin zu und kannst schäkern und lustig sein, als ob sonst nichts los wäre, dann darf man dich wohl einen recht natürlichen und unbefangenen Humoristen nennen.

Fast wir alle sind welche. – Auch du, mein kleines, drolliges Hänschen, mit deinem Mums, deiner geschwollenen Backe, wie du mich anlächelst durch Tränen aus deinem dicken, blanken, schiefen Gesicht heraus, auch du bist einer; und wirst du vielleicht später mal gar ein Spaßvogel von Metier, der sich berufen fühlt, unsere ohnehin schon große Heiterkeit noch künstlich zu vermehren, so komm nur zu uns, guter Hans; wir werden dir gern unsere alten Anekdoten erzählen, denn du bist es wert.

(Was mich betrifft II)

Anhang

Lebensdaten von Wilhelm Busch

1832 15. April: Heinrich Christian Wilhelm Busch wird als 1. von 7 Kindern des Kaufmanns Johann Friedrich Wilhelm Busch und dessen Ehefrau Henriette Dorothee Charlotte Busch, geb. Kleine, in Wiedensahl, einem Marktflecken zwischen Stadthagen und Loccum, im damaligen Königreich Hannover geboren.

1841 Nach drei Jahren Dorfschule in Wiedensahl übernimmt im September sein Onkel Pastor Georg Kleine in Ebergötzen bei Göttingen die Erziehung und erteilt ihm Privatunterricht. Beginn der lebenslangen Freundschaft mit Erich Bachmann, dem Sohn des dortigen Müllers und späteren Mühlenbesitzers.

1846 Im Herbst Übersiedlung mit der Familie Kleine nach Lüthorst nordwestlich von Einbeck.

1847 29. September: Aufnahme in die Polytechnische Schule (heute Technische Universität) in Hannover, um Maschinenbau zu studieren.

1851 März/Juni: Abbruch des Studiums und Übersiedlung nach Düsseldorf, um an der Kunstakademie „Maler zu werden".

1853 Ende März: Erkrankung an Typhus. Im Mai Rückkehr nach Wiedensahl. Dort und in Lüthorst Sammeltätigkeit von Volksmärchen, Sagen und Liedern „Ut ôler Welt".

1854 Naturwissenschaftliche Studien unter Anleitung von Pastor Kleine. Anfang November: Fortsetzung seines Studiums an der Akademie der Bildenden Künste in München. Aufnahme in den Künstler-Verein „Jung-München".

1856 November: Rückkehr nach Wiedensahl.

1858 Oktober: Beginn der Mitarbeit an den von Caspar Braun herausgegebenen „Fliegenden Blättern" und „Münchener Bilderbogen". Ab Mai in München, Ammerland und Brannenburg.

Bis Teils in München, teils in Wiedensahl mit verschiedentlichen
1866 Besuchen in Wolfenbüttel bei Bruder Gustav Busch. Texte zu Märchen- und Singspielen; erste Bildergeschichten (Bilderpossen, Max und Moritz).

1867 Juni: Erster Besuch im Hause Keßler in Frankfurt am Main. Dort war sein Bruder Otto Busch Hauslehrer. Beginn der Freundschaft mit Johanna Keßler und deren Töchter Nanda und Letty.

1869 Hauptwohnsitz (eigener Hausstand und Atelier) in Frankfurt.

1872 Aufgabe des festen Wohnsitzes in Frankfurt und wieder ständiger Aufenthalt in Wiedensahl, zunächst im Elternhaus und ab November im Pfarrhaus bei seiner Schwester Fanny Nöldeke.

1875   Januar: Beginn des brieflichen „Zwiegesprächs über den platonischen Zaun" mit der in Wiesbaden lebenden niederländischen Schriftstellerin Maria Andersen über Fragen der Philosophie, der Religion und der Moral. Eine Begegnung im Oktober in Mainz verlief für beide Seiten enttäuschend.

1877   August: Im Münchener Künstlerverein „Allotria" schließt Busch Freundschaft mit den Malern Franz von Lenbach und Friedrich August Kaulbach, dem Bildhauer Lorenz Gedon und den Theaterschriftsteller und Publizisten Paul Lindau. Im Dezember Zerwürfnis mit Johanna Keßler.

1878   April/Mai: Reise über München nach Bozen und Venedig. Juli auf der Insel Borkum. Dort Bekannschaft mit dem schlesischen Gutsbesitzer Georg Hesse und dessen Frau Maria. Im Winter in München.

1879   März: Übersiedlung mit Schwester Fanny ins Pfarrwitwenhaus von Wiedensahl.

1880   Im Herbst in München. Beginn der Freundschaft mit dem Dirigenten Hermann Levi.

1881   März/April: Letzter Aufenthalt in München. Im Sommer in Wolfenbüttel. Dort Bekanntschaft mit Margarethe („Gretchen") Fehlow.

1886   April: Reise über Florenz nach Rom (Gast von Franz von Lenbach im Palazzo Borghese).

1887   Letzte von vielen Silvesterbowlen mit Bruder Gustav Busch (gest. 8. Mai 1888) in Wolfenbüttel.

1888   August: Mit Franz von Lenbach in Holland.

1891   August: Dritte Hollandreise (mit F. von Lenbach). September Versöhnung und erstes Wiedersehen mit Johanna Keßler in Bad Rehburg. Oktober/November: Besuch in Frankfurt am Main (auch in den kommenden Jahren).

1896   Busch gibt das Malen endgültig auf. Beginn des Briefwechsels mit Margarethe Meyer, einer Enkelin von Onkel Georg Kleine.

1898   Oktober: Übersiedlung mit der Schwester Fanny in das Pfarrhaus von Mechtshausen „hübsch in der Nähe des Harzes" zu seinen Neffen Pastor Otto Nöldeke.

1907   Juni: Letzter Besuch in Frankfurt.

1908   9. Januar: Wilhelm Busch stirbt an Herzversagen in Mechtshausen. Er wird am 13. Januar auf dem Friedhof dieses Dorfes beerdigt.

Chronologie der Arbeiten

Zeichnungen, Texte und Gedichte aus:

Kneipzeitung des Künstlervereins „Jung-München" (1854–1864)
Fliegende Blätter und Münchener Bilderbogen (1858–1871)
Liebestreu und Grausamkeit (romantische Oper, Musik von E. Heinel, 1860)
Hänsel und Gretel (Märchenoper, Musik von G. Krempelsetzer, 1861)
Max und Moritz (1865)
Schnurrdiburr oder Die Bienen (1869)
Die fromme Helene (1872)
Kritik des Herzens (1874)
Abenteuer eines Junggesellen (1875)
Herr und Frau Knopp (1876)
Julchen (1877)
Die Haarbeutel (1878)
Fipps der Affe (1879)
Stippstörchen (Heute: Sechs Geschichten für Neffen und Nichten, 1881)
Balduin Bählamm (1883)
Was mich betrifft II (1886)
Eduards Traum (1891)
Von mir über mich (1893)
Der Nöckergreis (1893)
Der Schmetterling (1895)
Der Privatier (Entwurf 1902)
Zu guter Letzt (1904)
Die Technische Hochschule zu Hannover (1906)
Schein und Sein (1909)

Weitere (nicht zitierte) Arbeiten

Bilderpossen (1864)
Hans Huckebein; Das Pusterohr; Das Bad am Samstagabend (1867)
Die kühne Müllerstochter; Die Prise (1868)
Der Schreihals (1869)
Der heilige Antonius von Padua (1870)
Bilder zur Jobsiade; Pater Filuzius (1872)
Der Geburtstag oder Die Partikularisten (1873)
Dideldum (1874)
Der Fuchs; Die Drachen (1881)
Plisch und Plum (1882)
Maler Klecksel (1884)
Hernach (1908)
Ut öler Welt (1910)

Briefempfänger

Bachmann, Erich (1832–1907). Wilhelm Buschs Jugendfreund in Ebergötzen; Sohn des damaligen Müllers und später Besitzer der Ebergötzener Mühle. „Das Bündnis mit diesem Freund ist von Dauer gewesen", es bestand über 60 Jahre. „Der Müller in der alten Mühle ist seit meinem zehnten Jahr mein Freund, der liebste und beste, den ich habe."

Bassermann, Otto (1839–1916). Lernte Busch 1858 im Künstlerverein „Jung-München" kennen, „wo man sang und trank und sich nebenbei karikierend zu necken pflegte". In der internen Vereinschronik äußerte sich einmal Bassermann spöttisch über den sieben Jahre älteren und von ihm bewunderten Freund:
Ich möchte Wilhelm Busch wohl sein,
Sein geistig Aug' ist scharf und fein,
Philosophie ist ihm nur Spiel,
Er spricht gescheidt – nur etwas viel,
Und sagt man „ja", so sagt er „nein" –
Ich möchte doch der Busch nicht sein.
Er übernahm später den väterlichen Verlag in Heidelberg und war ab 1871 einer von Buschs Verleger.

Ebhardt, Dora (geb. 1840). Tochter des Justizrats Christian Hermann Ebhardt (1804–1884) in Hannover, der mit einer Kusine von Buschs Mutter verheiratet war. Bei Ebhardts wohnte Busch von 1847 bis 1850 während seiner ersten Studienjahre an der Polytechnischen Schule der Landeshauptstadt.

Hesse, Maria, geb. Heyn (1852–1938). Gutsbesitzerin aus Schlesien mit zweitem Wohnsitz in Bremen; lernte Busch 1878 auf der Insel Borkum kennen. Zwischen beiden bestand etwa drei Jahrzehnte lang ein reger Briefwechsel.

Holle, Carl. Rektor der Höheren Bürgerschule in Uelzen; lernte Busch während eines Besuchs bei seinem Bruder Hermann kennen, der als Mathematiklehrer in Uelzen tätig war.

Kaulbach, Friedrich August von (1850–1920). Maler von Genrebildern; Direktor der Münchener Akademie. Freund Wilhelm Buschs aus dem Münchener Künstlerverein „Allotria".

Keßler, Johanna, geb. Kolligs (1831–1915). Frau des Frankfurter Bankiers J. D. H. Keßler, in dessen Haus Wilhelm Busch von 1867 bis 1872 und später nochmals von 1891 bis 1907 verkehrte. Buschs Bruder Dr. phil. Otto Busch war von 1867 bis zu seinem frühen Tod im Jahre 1879 Hauslehrer bei der Familie Keßler.

Keßler, Ferdinanda, genannt Nanda (1862–1909). Tochter von Johanna Keßler. Busch lernte sie im Jahre 1867 bei seinem ersten Besuch im Hause Keßler als Kind kennen. Er blieb ihr bis zu seinem Tod als ,,Onkel Wilhelm" freundschaftlich verbunden. An Johanna und Nanda Keßler wie auch deren Schwester Letitia genannt Letty sind viele Briefe und Briefgedichte Buschs gerichtet.

Lenbach, Franz von (1836–1904). Porträtmaler; zunächst in Weimar, dann in Rom und später in München. Busch hatte ihn 1877 im Münchener Künstlerverein ,,Allotria" kennengelernt. Aus dieser Begegnung wurde eine lebenslange Freundschaft.

Meyer, Margarethe (geb. 1879). Enkelin von Buschs Onkel und Erzieher Pastor Georg Kleine, einem Bruder seiner Mutter. Ihre Schwester Else heiratete später Buschs Neffen Nöldeke, einem Sohn seiner Schwester Fanny. Sie selbst war seit 1906 mit Andreas Thomsen, einem Professor für Strafrecht in Münster, verheiratet. Einige Jahre war sie eine besondere Vertraute von Wilhelm Busch, die es verstand, ihn in einen anmutigen und längeren Briefwechsel zu ziehen.

Quellen und Literatur

Ackerknecht, Erwin: Wilhelm Busch als Selbstbiograph. Fr. Bassermann Verlag, München 1949

Balzer, Hans: Wilhelm Buschs Spruchweisheiten. Greifenverlag, Rudolfstadt 1955

Balzer, Hans: Nur was wir glauben, wissen wir gewiß. Evangelische Verlagsanstalt, 7. Aufl., Berlin 1958

Bohne, Friedrich: Wilhelm Busch. Leben – Werk – Schicksal. Wasmuth-Verlag, Zürich und Stuttgart 1958

Dangers, Robert: Wilhelm Busch. Sein Leben und sein Werk. Verlagsanstalt Hermann Klemm, Berlin 1930

Haage, Peter: Wilhelm Busch. Ein weises Leben. Meyster-Verlag, Wien und München 1980

Kraus, Joseph: Wilhelm Busch in Selbstzeugnissen und Bilddokumenten. Rowohlt Taschenbuch Verlag (rm 163), Reinbek bei Hamburg 1970

Lotze, Dieter P.: Wilhelm Busch. Leben und Werk. Belser-Verlag, Stuttgart und Zürich 1982

Neumann, Carl W.: Wilhelm Busch. Velhagen & Klasing, Bielefeld und Leipzig 1921

Nöldeke, Hermann, Adolf und Otto: Wilhelm Busch. Lothar Joachim Verlag, München 1909

Nöldeke, Otto und Hermann: Wilhelm-Busch-Buch. Verlagsanstalt Hermann Klemm, Berlin 1930

Ueding, Gert: Wilhelm Busch. Das 19. Jahrhundert en miniature. Insel-Verlag, Frankfurt am Main 1977

Gesamtausgaben

Sämtliche Werke. Acht Bände, herausgegeben von Otto Nöldeke. Verlag
Braun & Schneider, München 1934

Wilhelm-Busch-Werke. Historisch-kritische Gesamtausgabe in vier Bänden, herausgegeben von Friedrich Bohne. Vollmer-Verlag, Wiesbaden
1959

Sämtliche Briefe. Kommentierte Ausgabe in zwei Bänden, herausgegeben von Friedrich Bohne. Wilhelm-Busch-Gesellschaft, Hannover
1968/69

Schöne Studienausgabe in sieben Bänden. Herausgegeben von Friedrich
Bohne. Diogenes-Verlag (detebe), Zürich 1974

Sämtliche Werke und eine Auswahl der Skizzen und Gemälde in zwei
Bänden, herausgegeben von Rolf Hochhuth. C. Bertelsmann Verlag,
München 1982

Wilhelm Busch: Sämtliche Bilderbogen. Mit einem Nachwort von Gert
Ueding. Insel-Taschenbuch 620, Frankfurt am Main 1983

Mit Wilhelm Busch auf Reisen

Ausgewählt und begleitet von Hans Stengel
,,Drostes heitere Bibliothek"
2. Auflage, 132 Seiten mit zahlreichen Abbildungen,
Linson mit Schutzumschlag

Droste Verlag

Mit Wilhelm Busch in Küche und Keller

Ausgewählt und zubereitet von Hans Stengel
,,Drostes heitere Bibliothek''
140 Seiten mit zahlreichen Abbildungen,
Linson mit Schutzumschlag

Droste Verlag

Mit Wilhelm Busch durch die Jahreszeiten

Für jedes Wetter ausgewählt von Hans Stengel
,,Drostes heitere Bibliothek''
140 Seiten mit zahlreichen Abbildungen,
Linson mit Schutzumschlag

Droste Verlag